CHARADINHAS

MATEMÁTICA

MATEMÁTICA

1. Por que se deve fazer todos os problemas de matemática segurando um lápis 6B?

2. De qual número se pode tirar a metade do valor e não deixar nada?

3. **O que tem aumento de 50% do seu valor quando está de cabeça para baixo?**

4. Quais os dois números que, multiplicados um pelo outro, totalizam sete?

5. Quantos ovos o gigante Golias podia comer para seu estômago deixar de estar vazio?

6. Que fração virada de cabeça para baixo terá o mesmo valor anterior?

7. Um trem leva 80 minutos para ir de uma cidade a outra, mas, para voltar, leva uma hora e vinte minutos. Por quê?

8. Num grupo de oito cavalos, se um deles olhar para trás, vai contar quantos?

9. Em um sítio, há sete enxadas e uma foice. Quantos objetos são?

RESPOSTAS: 1. Porque ele não sabe escrever sozinho. 2. Do número oito. Tire a metade de cima e sobrará zero. 3. O número seis. 4. 7 e 1. 5. Um. Depois disso, o estômago não estava mais vazio. 6. 6/9. 7. Porque 80 minutos e uma hora e vinte minutos são exatamente a mesma coisa! 8. Nenhum. Cavalo não sabe contar. 9. São seis, porque um "foi-se".

10. O que nunca faz parte de nada?

11. Um agricultor tinha 2 ½ montes de feno numa fila e 3 ½ montes de feno em outra. Depois de juntar os dois montes, com quantos ele ficou?

12. Um senhor de 80 kg e suas duas filhas, cada uma com 40 kg, precisam atravessar uma ilha com um barco. Só que há um problema: o barco só suporta 80 kg. Como farão para atravessar?

13. Duzentos burros estão andando em fila; um burro cai e olha para trás. Quantos burros ele vai contar?

14. Que parte da matemática gera como fruto uma dor de cabeça?

15. **O rato roeu a roupa do rei de Roma. Quantos erres tem nisso?**

16. Um criminoso foi condenado à prisão perpétua. Porém, sua pena foi reduzida à metade. Como pode ser cumprida a sentença?

17. Qual é o mês mais curto?

RESPOSTAS: 10. O todo. 11. Com um. 12. Ele deve mandar as duas filhas, depois uma filha deve voltar com o barco; agora ele vai, manda a outra filha voltar também, e por fim irão as duas filhas juntas. 13. Nenhum. Burros não contam. 14. A raiz quadrada. 15. Nenhum. "Nisso" não tem erre. 16. Um dia, sim, e outro, não. 17. Maio (tem apenas quatro letras).

MATEMÁTICA

18. Um pescador está do lado de um rio. Ele é tem um barco e precisa levar um saco de milho, uma galinha e uma raposa para o outro lado. O barco só aguenta ele e mais alguma coisa (ou o milho, ou a galinha ou a raposa). Ele não pode deixar a galinha com o milho, porque a galinha comeria o milho, e nem pode deixar a galinha com a raposa, senão a raposa comeria a galinha... O que ele deve fazer?

19. Cinco macacos de imitação estavam sentados num muro. Um deles pulou. Quantos ficaram?

20. **Um pastor diz para o outro: "Dê para mim um de seus carneiros que ficamos com igual número de carneiros". O outro responde: "Nada disso, dê-me um de seus carneiros que ficarei com o dobro dos seus". Quantos carneiros cada um possui?**

21. Há cinco irmãos que moram na mesma rua. Se um errar sua casa, todos errarão. Quem são eles?

22. O que um número primo disse a outro como ele?

23. O que está correto quando bate?

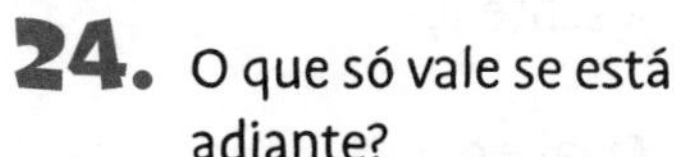

24. O que só vale se está adiante?

25. Quando é que 2+2 não é = 4?

RESPOSTAS: 18. Ele deve levar a galinha; voltar, levar a raposa e voltar com a galinha; levar o milho, e por último levar a galinha novamente. 19. Nenhum, pois todos eram macacos de imitação e pularam também. 20. Cinco e sete. 21. Os botões de uma camisa. 22. "Você é único!". 23. Uma conta. 24. O zero. 25. Quando a conta está errada.

26. **Quantos patos são quando há um pato entre dois patos, um pato atrás de dois patos e um pato à frente de dois patos?**

27. Diz uma dona de casa: “Sempre que eu quero comprar frutas, eu vou ao mercadinho do Seu Doca. Lá, uma laranja custa R$ 0,14; uma tangerina custa R$ 0,18; e o mamão, R$ 0,10”. Se você prestar bem atenção, verá que existe uma lógica que determina o preço de cada uma dessas frutas. Seguindo essa lógica, será que você saberia dizer quanto custa uma maçã lá no mercadinho do Seu Doca?

28. Seis copos estão em uma fileira; os três primeiros estão cheios de suco; os três últimos, vazios. Movendo apenas um deles, você consegue arrumá-los de forma que os cheios e os vazios se alterem?

29. Qual o caminho mais curto entre dois pontos quaisquer?

30. Qual é o animal que tem mais de três olhos?

31. Quando é que a girafa tem oito patas?

32. Qual o dobro da metade de dois?

33. Qual o mês que tem 28 dias?

34. Qual é a metade de dois mais dois?

RESPOSTAS: 26. Três. 27. Custa R$ 0,08, porque a lógica que determina os preços é a seguinte: Seu Doca cobra R$ 0,02 por cada uma das letras com que se escreve o nome da fruta à venda. 28. Basta despejar o suco do segundo copo no quinto. 29. O atalho. 30. Piolho (PI = 3,1415...) 31. Quando duas girafas estão juntas. 32. Dois. 33. Todos. 34. Três.

MATEMÁTICA

35. Se um tijolo pesa 1 quilo e meio tijolo, quanto pesa um tijolo e meio?

36. Alguém quer cozinhar um ovo em 2 minutos. Entretanto, só tem dois relógios de areia, um de 5 minutos e outro de 3 minutos. Como poderia colocar o ovo para cozinhar e tirá-lo dentro de 2 minutos exatos?

37. Quanta terra tem um buraco de 1 metro de profundidade por 2 de largura e 1 e ½ de comprimento?

38. O que faz um peixinho de 2 cm num lago de 100 km de diâmetro e 2 km de profundidade?

39. Duas hóspedes chegaram a um hotel e pediram um quarto que ocupariam juntas. O recepcionista, que não estava com vontade de falar, apontou para o relógio e elas, que eram muito inteligentes, imediatamente saíram à procura de pousada em outro lugar. A que horas isso aconteceu?

40. **Um homem tem 26 descendentes, entre filhos, netos e bisnetos. Se ele tivesse mais dois bisnetos, o número destes seria igual ao dos filhos. Quanto aos netos, seu número é quatro vezes ao dos bisnetos. Quantos são os filhos, netos e bisnetos desse homem?**

RESPOSTAS: 35. 3 quilos. 36. Você viraria os dois relógios de areia ao mesmo tempo. Quando o de três minutos acabasse, o indivíduo colocaria o ovo e, quando o de 5 minutos acabasse, retiraria o ovo. 37. Nem um pouco de terra, pois um buraco é vazio. 38. Nada. 39. Faltando um quarto para as duas. 40. 6 filhos, 16 netos e 4 bisnetos.

41. Num jarro estão sete amebas. Elas se multiplicam tão rapidamente que dobram o seu volume a cada minuto. Se, para encherem o jarro, elas levam 40 minutos, quanto tempo levarão para encher metade do jarro?

42. Uma garrafa e uma rolha custam R$ 11,00 quando vendidas juntas. Se vendidas separadamente, a garrafa custa R$ 10,00 mais do que a rolha. Quanto custa a rolha?

43. Quanto tempo leva um trem de 1 km para atravessar um túnel de 1 km de comprimento se viaja à velocidade de 1 km por minuto?

44. O que a calculadora respondeu quando lhe perguntaram como ela estava passando?

45. O que tem 8 letras e, sem a metade, ainda fica com 8?

46. Caminhando ao fim da tarde, uma senhora contou 20 casas em uma rua à sua direita. No regresso, ela contou 20 casas à sua esquerda. Quantas casas ela viu no total?

47. **Com quantos paus se faz uma canoa?**

RESPOSTAS: 41. 39 minutos. 42. R$ 0,50. 43. Leva 2 minutos. Após o primeiro minuto a cauda do trem está entrando no túnel. Depois, leva 1 minuto mais, para sair do outro lado. 44. + Ou -. 45. Biscoito. 46. 20 casas, já que a sua direita na ida é a sua esquerda na volta, ou seja, nos dois itinerários, ela viu e contou as mesmas casas. 47. 770 (se duvidar, experimente).

48. Um navio de sucata de ferro estava dentro de uma comporta no canal do Panamá. A tripulação estava revoltada com o capitão, que não pagava o salário, amotinou-se e jogou toda a sucata de ferro fora do navio. O nível da água subiu, desceu ou permaneceu o mesmo?

49. **Um carneiro preto e um carneiro branco; um carneiro com chifres e um sem; um carneiro de cauda comprida e um carneiro de cauda curta. Quantos carneiros são?**

50. É possível colocar em uma linha um par de algarismos “1”, um par de “2” e um par de “3”, de modo que entre os “1” haja um dígito, entre os “2” haja dois e entre os “3” haja três?

51. São sete irmãs, cada uma delas tem um irmão. Quantos filhos são ao todo na família?

52. Oito batem no chão, quatro olham para o céu, um governa e o outro chia. O que é?

53. Uma professora tem 20 balas para dividir entre 10 alunas. Que horas são?

54. Quais números não têm parentesco?

RESPOSTAS: 48. O nível desceu. Enquanto a sucata está dentro do navio, ele ocupava um volume maior dentro da água. 49. Dois. 50. 231213. 51. Oito. 52. O carro de boi. 53. Vinte para as dez. 54. Os números não primos.

55. **Uma senhora vai ter um bebê. Se ele for menino, faltará mais um para que o número de filhos homens seja igual ao de mulheres. Entretanto, se for menina, o número de mulheres será o dobro do de homens. Quantos filhos e filhas ela tem no total?**

56. Suponhamos que haja um homem no fundo de um poço e ele queira subir. Cada dia ele sobe 3 metros, mas quando chega a noite, ele desce 2 metros. Sabendo que o poço mede 23 metros, quanto tempo levará o homem para sair?

57. Se um remarcador de preços consegue remarcar uma lata e meia em um segundo e meio, quanto tempo leva para remarcar uma dúzia de latas?

58. Dois pais e dois filhos brincavam de flecha ao alvo. Cada um deles acertou um alvo, e nenhum atirou no mesmo. Entretanto, somente três alvos foram efetivamente destruídos. Quem eram eles?

59. Havia 7 passarinhos pousados em um galho. Depois de um grande barulho, 1 se assustou e voou. Quantos sobraram?

55. Três meninos e cinco meninas. 56. Somente 21 dias. Quando amanhecesse o 21º dia, ele subiria os 3 metros restantes, saindo do poço. 57. 12 segundos 58. Era o avô, o pai e o filho. 59. Nenhum. Os outros 6 também se assustaram e voaram.

MATEMÁTICA

60. Você decidiu ir para a cama às 8 horas da noite na sexta-feira e acertou o despertador para as 9 horas da manhã seguinte. Quantas horas você dormiu?

61. **Um bolo redondo deve ser repartido entre dois convidados. Para desagradar nenhum deles, os pedaços devem ser iguais. Como reparti-lo com apenas três cortes?**

62. Se dois é bom e três é demais, o que são quatro e cinco?

63. Um alfaiate tem uma peça de tecido com 20 metros de comprimento. Cada dia ele tira um pedaço de 2 metros. Se o primeiro corte foi feito no dia 11 de abril, em que dia ele fará o último corte?

64. Um homem tem dois relógios de ponteiros.. Um deles não anda e o outro atrasa uma hora por dia. Qual deles mostrará mais frequentemente a hora certa?

RESPOSTAS: 60. 1 hora apenas, pois o despertador não sabe distinguir entre 9h e 21h. 61. Deve ser feito primeiro um corte horizontal. Depois, dois cortes em forma de x em cima do bolo. Assim, ele fica dividido em oito partes iguais. 62. Nove. 63. Dia 19. 64. O que não anda mostra hora certa duas vezes ao dia. O que atrasa só mostrará a hora certa de doze em doze dias após haver atrasado 12 horas.

65. **Um trem sai diretamente da cidade de São Francisco para Nova Iorque. Outro trem sai diretamente de Nova Iorque para São Francisco. A distância é percorrida em 5 dias. Se um viajante deixar São Francisco de trem, quantos trens vindo de Nova Iorque ele verá antes de chegar lá?**

66. Qual o número que cresce quando virado de cabeça para baixo?

67. Qual a palavra de três letras que, se perder dois nomes, ainda lhe sobram cinco letras?

68. Como oitos, somados, totalizam 1.000?

69. Se meio careca tem 50 cabelos, quantos cabelos têm uma careca?

70. Quando é que o resultado de 3+3 é 7?

71. O que destrói tudo com três letras?

72. Qual o próximo número da sequência 1, 3, 6, 10, 15?

73. Quais os números consanguíneos?

74. Quando um é mais que dois?

RESPOSTAS: 65. 10 trens; pois, quando ele sai, já existem 5 trens em caminho, e, durante os cinco dias de viagem, outros 5 sairão. 66. O número seis, que de cabeça para baixo vira 9. 67. Ovo. Tiram-se a clara e a gema, e ainda sobra a casca. 68. 888 + 88 + 8 + 8 + 8 = 1000. 69. Nenhum. 70. Nunca. 71. Fim. 72. 21. 73. Os números primos. 74. Quando é um milhão.

MATEMÁTICA

75. Dois homens vão fazer uma viagem de 18.000 km de automóvel. Entretanto, os pneus só aguentam 12.000 km. Quantos pneus-reserva os homens precisam levar, no mínimo?

76. O que é uma árvore com doze galhos, tendo cada galho trinta ninhos, e cada ninho, sete passarinhos?

77. Se forem adicionadas 2 horas e 30 minutos a 11h45, qual será o novo horário?

78. **Um jardineiro plantou dezessete mudas de coqueiro. Todas, exceto nove, morreram. Quantas mudas sobraram?**

79. Cinquenta vacas passavam pela cidade. Morreu uma. Quantas ficaram?

80. Quantas patas tem um pato fiel?

81. São sete irmãos: cinco têm sobrenome e dois não têm. Quem são?

RESPOSTAS: 75. Apenas dois. Ao fim dos primeiros 6.000 km, eles devem colocar os pneus-reserva. Ao completar os 12.000 km, devem repor aqueles que tinham sido substituídos pelos pneus-reserva no lugar daqueles que já rolaram 12.000 km. 76. O ano, os meses, os dias e as semanas. 77. O novo horário é 14h15. 78. Nove. 79. Uma, porque as outras continuaram a viagem. 80. Três. Duas para caminhar e uma para namorar. 81. Os dias da semana.

82. Três gatos comem três ratos em três minutos. Cem gatos comem cem ratos em quantos minutos?

83. Quantas vezes é possível subtrair 10 de 50?

84. Havia 20 vacas no curral. Todas elas deram uma cria numa noite. Amanheceram 21 bezerros, e Nenhuma teve dois. Por quê?

85. **Minha idade é a raiz quadrada da raiz quadrada de 14 + a minha idade. Qual a minha idade?**

86. Um homem vai com 50 bois pelo caminho para vender. Adiante, vende 15. Quantos ficaram?

RESPOSTAS: 82. Três minutos. 83. Apenas uma vez. Depois da subtração de 10, vira 40. 84. Porque "Nenhuma" era o nome da vaca. 85. Dois anos. A raiz quadrada de (14) mais a minha idade (2) é igual a 4 e a raiz quadrada de 4 é 2. 86. Ficaram 15 bois. O restante seguiu viagem.

87. Aparecido e Joaquim levaram seus filhos para pescar. Aparecido e seu filho Nestor pegaram o mesmo número de peixes cada um, mas Joaquim conseguiu pescar o triplo dos peixes pelo seu filho. Na volta, pegaram uma canoa que só transportava 3 pessoas por vez e que só podia fazer uma viagem, mas, conseguiram chegar em casa com os 35 peixes que pegaram. Como puderam fazer isso? Quantos peixes cada um pescou?

88. Em uma ilha há cinco hortas, cada uma com três palmeiras; em cada palmeira existem oito cocos. Quantos cocos existem na ilha?

89. Um joalheiro tinha 9 pérolas. Apesar de elas serem idênticas, ele sabia que uma delas era falsa e que esta era um pouco mais leve do que as outras. Como a diferença não podia ser constatada a olho nu, ele usou uma balança de precisão, e, com apenas 2 pesagens pode separar a pérola diferente. Como ele fez isso?

90. **Qual o tamanho do barbante?**

RESPOSTAS: 87. O transporte foi fácil, pois, na realidade, eram 3 pessoas (Aparecido é filho de Joaquim): a divisão dos peixes também (Aparecido = 7 / Nestor = 7 / Joaquim = 21). 88. Palmeira não dá coco. 89. Colocou 3 pérolas em cada prato da balança e deixou 3 fora, verificando, assim, em qual grupo estava a mais leve. Numa segunda pesagem, colocou uma pérola desse grupo em cada prato e deixou uma fora, não tendo dificuldade em saber, então, qual a mais leve. 90. O dobro da metade.

91. Três homens querem atravessar um rio. O barco deles tem a capacidade máxima de 150 quilos. Eles pesam 50, 75 e 120 quilos cada um. Como podem passar sem afundar o barco?

92. **Marcelo, ao ser inquirido sobre o seu peso, disse que pesava sessenta quilos mais um terço de seu peso total. Quantos quilos Marcelo pesa?**

93. Um homem tem de passar por uma ponte de 500 m. Ele já andou 360. Quantos metros faltam?

94. Que defeito caracteriza o calculista que escreve romance sem vocação?

95. Um pai tinha duas filhas. Deu 8 reais para uma e 7 reais para a outra. Que horas são?

96. Uma casa de quatro cantos,
cada canto tem seu gato,
cada gato vê três gatos,
quantos gatos tem
na casa?

RESPOSTAS: 91. Primeiramente, vão os dois mais leves. Lá chegando, o barco volta com um deles. Então, sobe o mais pesado e vai para o outro lado. O que estava lá volta para buscar o que havia ficado. 92. 90 quilos (60 + 1/3 de 90). 93. 200 m. 94. A má-temática. 95. 15 para as duas. 96. Quatro.

MATEMÁTICA

97. Um homem tem certa idade que, dividida por 2 e, depois, adicionada de 10, é igual a 25. Qual a idade dele?

98. Qual o peso de um peixe, se ele pesa 10 quilos mais que a metade do próprio peso?

99. O que tem sempre o mesmo peso, qualquer que seja seu tamanho?

100. **O tempo que um carro demora para fazer o percurso de A a D é 2/3 do tempo que o mesmo carro leva para voltar de D a A. O 1º carro fez o trajeto de A a D em 8 horas e voltou de D e C em duas horas, o 2º carro fez o trajeto de D a A em 13 horas e meia e voltou de A a B em 3 horas e o 3º carro fez o trajeto de B a C e voltou de C a B em 7 horas e meia. Qual desses carros desenvolveu maior velocidade?**

RESPOSTAS: 97. 30. 98. 20 quilos. 99. O buraco. 100. O 3º carro.